भीतर उतरने का उत्सव

भीतर उतरने का उत्सव

राजी सेठ

वाणी प्रकाशन

प्रकाशन के उत्कृष्टतम 61 वर्ष

vaniprakashan.com

सजिल्द पहला संस्करण : 2024

वाणी प्रकाशन

4695, 21-ए, दरियागंज, नयी दिल्ली-110 002

फ़ोन : +91 11 23273167, 23275710

शाखाएँ

अशोक राजपथ, पटना-800 004, बिहार

कॉफ़ी हाउस कैम्पस, महात्मा गांधी मार्ग, प्रयागराज-211 001, उत्तर प्रदेश

महात्मा गांधी अन्तरराष्ट्रीय हिन्दी विश्वविद्यालय, वर्धा-442 001, महाराष्ट्र

sales@vaniprakashan.in
vaniprakashan@gmail.com

Bhitar Utarne ka Utsav
by Rajee Seth

ISBN : 978-93-6287-560-0
Poetry Collection

मूल्य : ₹ 300

थॉमसन प्रेस (इंडिया) लि. में मुद्रित

वाणी प्रकाशन का लोगो मक़बूल फ़िदा हुसेन की कूची से

मेरे मन के मानसरोवर की

'मानसी' को

यह भीतर का उत्सव...

अभिस्वीकृति

मेरे पिता **स्व. निरंजन नाथ सेठ** की यह प्रबल मंशा रही कि मेरी माँ **(राजी सेठ)** की यत्र-तत्र प्रकाशित कविताओं की किताब प्रकाशित हो, पर यह हो न सका। आज कविताओं के चार संग्रह (**शब्दों में पत्थर, अग्निगर्भा शब्द, शब्दों का जीवन** और **भीतर उतरने का उत्सव**) प्रत्यक्ष देखकर उल्लसित माँ और प्रतिछाया से देखते हर्षित पिता की अनन्य अनुभूति से मैं अभिभूत हूँ। उच्छ्वास का यह एहसास दिया है महात्मा गांधी अन्तरराष्ट्रीय हिन्दी विश्वविद्यालय, वर्धा के प्राक्तन प्रोफ़ेसर **डॉ. डी.एन. प्रसाद** ने; जिन्होंने पत्र-पत्रिकाओं में प्रकाशित कविताओं के साथ धूलभरी गठरी (files) में पड़ी सोयी कविताओं से धूल साफ़ कर चयन-सम्पादन के पुस्तक-प्रणयन सन्दर्भित सारे पूर्व विधान से मूर्त रूप दिया। डॉ. प्रसाद के बिना यह सब सम्भव न होता। उन्हें मेरा आत्मिक अभिवादन!

सुप्रसिद्ध चित्रकार श्री परमजीत सिंह जी का हृदय से आभार। उनकी कलाकृतियों ने पुस्तकों के आवरण को सार्थकता प्रदान की है।

इन चारों कविता-संग्रहों को एक साथ प्रकाशित कर वाणी प्रकाशन के स्वामी **श्री अरुण माहेश्वरी जी** हर्षित हैं। मैं उनको विशेष आभार व्यक्त कर अपने को गौरवान्वित महसूस कर रहा हूँ।

राहुल

+91-9958459221

rahulseth@yahoo.com

4 अक्टूबर, 2024

दो शब्द

असली काम तो अंत:प्रेरणाओं के सत्व को निर्दिष्ट की ओर ले जाना और सम्वेदनात्मक सघनताओं का नियमन करके उसे सम्प्रेषण-सुलभ बनाना है। यह सब कुछ रचना-मानस में निरायास होता है– चेतनागत रूप से। चेतना अविछिन्न होती है। साहित्य-विविधा में काव्य का प्रवेश तो अविछिन्न चेतना के लक्षण हैं।

— राजी सेठ

परिबोधन

भीतर उतरने का उत्सव

वह कौन था-
जो बाँह पकड़े
कविता की नदी पर छोड़ गया....

सम्भावना आगत के स्वागत की जिजीविषा है। उम्मीद के सरगम पर ही जीवन के गीत प्रस्फुटित होते हैं। सर्जना की यह पहली शर्त है। संरचना की यह ख्वाहिश है कि सम्भावना का दामन न छोड़ें, उसी में जीवन का सरगम है और जीवन कविता की काया है! जीवन-काया से जब काव्य प्रस्फुटित होकर पल्लवित होते हैं, प्रार्थना के गीत बजते हैं, कवि का यही निहितार्थ है। उसके जीवन के पल-छिन में खुशियों का आगार है उसकी काव्य-सर्जना!

तुम्हारे होने से
सम्भावना जगी रहती है

....भीतर उतरने का उत्सव कवयित्री राजी सेठ अपने प्रस्तुत काव्य-संग्रह में बड़े कशिश के साथ कह रही हैं, यह उनकी जीवन्तता है। काव्य की सर्जना का मतलब सर्जना के सम्पूर्ण आयाम का उद्गम! प्रतिबद्ध दिन की क्रमागत में लय-छन्द का कोई भी वरद-क्षण उनकी रचनात्मकता से विरल नहीं हुआ। रचनात्मकता की प्राणऊर्जा रचनारत रहने के लिये उन्हें प्राणान्वित करती रही है—

प्राणान्वित हो उठती हैं
सभी स्मृतियाँ-सुधियाँ
रागान्वित सभी धुनें
× × ×
उसी उछाह से अर्पित हैं

यह अर्पण रचना कसाव को समृद्ध करता चलता है और सर्जना की पाजेब द्वार खोल देती है—

जो लय है मेरी अनुगता है मैंने
उसे ब्याहा है
जो छन्द है, आगत है, मेरे द्वार
पर आया है

जीवन दर्शन की उनकी भाषा काव्यभाषा को आह्वान करती हुई उसी स्मरण की छाँह में काव्य-सम्पोषी बनी है। आंतरिक लय के प्रेषण से भावप्रतीति की प्रतिबद्धता पुरजोर होती है, सम्वेदन यहाँ कुलाचें मारने लगती है, कविता की प्रसूती सहज उच्छ्वसित हो जाती है। राजी जी कहती भी हैं, "**कविता विवरण से नहीं, सम्वेदन से लिखी जाती है।**" सम्वेदन की ताप से अजीव भी जीवन्त हो जाता है—

काठ को कला कर देने की आस्था को
वंचित कर देगा वह—
ठूँठ से उगती हुई
जीवन के दर्शन की भाषा को!

काव्य की सर्जना में जब यह भाव हो— "तुम्हारे भीतर उतरने का उत्सव" तो काव्य के वैराग्य-मरू में भी रागिनियाँ उगने लगती हैं। और भी, कि यहाँ तो परोसने की प्रभुता में उर्वर बन बहने की बात है! प्रकृति और स्त्री दोनों की स्वमुक्ति ही संधान का पोषक है। बंधन में सुख है, पर उर्वरता के लिये बंधन यानि अपनी ही परिधि में परिवेशित प्रसन्नता—

मुझे मुक्त करे
अपनी तरह
मैदानों, तलहटियों, खेतों के बीच
उर्वरता बन बहने को

उत्सव की यह काव्यानुभूति राजी सेठ की काव्यभाषा ही कर सकती है। सदी की समझ में भी इच्छा के ओढ़न का सवाल कविताएँ कर रही हैं समय की नदी में बहते हुए। ऐसी समकालीन समझ कविताओं को स्वर देती हैं और कुछ कहने के लिये कालानुभूति से लैस करती हैं।

इतिहास अनवरत दौड़ता है युग संधियों में
फालतू करके फेंकता है शब्दों के छिलके

इन्हीं अभिप्रायों की सम्पुष्टि है— '....भीतर उतरने का उत्सव'!

—डॉ. डी.एन. प्रसाद
वाराणसी

क्रमागत

नि:शब्द रात

कामों से लदी नि:शब्द रात
घर के किसी दूसरे कोने में जाग रही घनघोर प्यास
दो अनझिप टकटकियाँ
पर दोनों ही छोर चुप हैं
अपने में बन्द
अपरिचित

कौन कह सकता है प्यास अगर माँग लेती
तो मिल ही जाता
जिसकी चाह थी
याकि सृजन का कौशल
फल देगा ही
निष्काम की दीक्षा वाले देश में

दो गुम छोरों के अतिरिक्त भी
पास कहीं सतत्
नश्वरता की नदी
जो, जब चाहती है
उचककर खींच लेती है
तट पर खड़े निरीह नायक को
अपनी धारा के बीचोबीच

नदी के होने का आतंक/चाहता, तो
जोड़ सकता था दोनों छोर
कर्म को प्यास से
चाह को रात से
पर नहीं जोड़ता
नदी सदा बहती है
कर्म सदा व्यस्त है
प्यास सदा जागी है
सब एक साथ चुप हैं/अपने में बन्द/अपरिचित....

ज्योतिगर्भित हीरक सत्य

जब भी देखा
उस आँख से देखा जो मेरे मुँह पर जड़ी है
सूंघा उस नाक से
जो मेरे मुँह पर गड़ी है
छुआ देखा सुना गुना, पाया बिसराया
हर नया गीत पहले पहले अपने लिये गाया
हर मील पर पत्थर अपनी यादों ने गाड़े
अश्रुपूरित आँखों के पार-लगे, सब द्रवित उजाले

गन्तव्य हर किसी ने पाया अपनी पगडंडियों से
व्यथाएँ सब किसी की टोही गई अपने ही दर्दों से
हर 'मैं'– माध्यम
हर दर्द– फेसेट
ज्योतिगर्भित हीरक सत्य– अनन्त
द्युतिमान
जागृत!

एक दिन

यह दिन
तेरी याद के साथ खुला
प्रात सा धुला

भर दोपहर उमसाया
उष्णाया

साँझ तक हूक-हुमस
कलेजे-सा मुँह में उतर आया

और अब
गहराती रात के साथ क्या ढला
सा-अर्थ दिन शेष हो चला

सपने

मेरी सतर्क वेदना
किसी एक दिन बहुत रोयी
उन सपनों की याद में
जो जीवन की धूप में
न कभी लिखे, न खुले, न धुले
न किसी भटकन में जागे
न किसी बेसुध घड़ी सोए
बस रहे अड़े
खड़े के खड़े
कपाटों के पार

अब
बन्द दरीचों से कभी
अवरुद्ध क्रन्दन द्वार खटखटाता है
और जंकाई चिटखनियों से पिघलता लावा
उघाड़ने नहीं देता द्वार
तो अँसुआती है व्यथा
हुमस उमस जाती कातर करुणा
दो शब्दों का हाहाकार/घेरता आकाश
अभागे! अजन्मे!
यह सपने
क्या सपने?

पाना न कहते

जीवन को अर्पित
हर सूत्र
आर्शीवचन
बोध
तप कर, तच कर, रोकर
अंधेरे बन्दी क्षणों की
करुण निस्सहायता से विगलित होकर
पाया है

उन्हें कोई मुक्तमना
खिल कर, खुल कर
हँस कर, जीकर
सहज प्रत्यक्ष पाता
तो हम उसे पाना न कहते?

दर्द द्वारा संस्कारना
(तब) पर किसे कहते!

टिप्पणी– शेखर एक जीवनी भाग-दो में बाबा मदन सिंह का जीवन वृत्त इस कविता का प्रेरणा स्त्रोत है। उसे पढ़ते इतनी गहरी करुणा उपजी थी कि लगा था कि उस जीवन की भव्य निरीहता, सूत्रों की सार्थकता और प्रखरता को अचानक लाँघ गई है। उसी सम्वेदित क्षण की उपज है यह पंक्तियाँ।

अंधकार की बाधा

समर्थ को नहीं अपेक्षित कुछ भी
सूर्य को नहीं आशा
उजाले को काटनी रही
सदा अंधकार की बाधा
क्षमता को कौन से हाथ की चाह
सामर्थ्य के लिये व्यर्थ राह।

अरक्षित कातर घड़ी
मैंने जब कहा तुम्हें राम, वासुदेव, यीशू
मैं हारी
लघुता अकिंचनता/सीमा संकुलता पहले स्वीकारी
दया पात्रता सदा प्रीति-पात्रता नहीं बनी?
गिरे-उठाने में प्रभुता सदा राम की बनी
ईसा को सूली जिनके हित
तुम्हारे कहे की तथता
आज मेरी दयनीयता कातरता-निमित

फिर कहूँ
फिर फिर कहूँ
राम! हे राम
मुक्ति वरण ईसा
ताप हरण कृष्ण
मुझे....

मेरी वसुंधरा मेरा आकाश

दृष्टि मर्यादा
मान लेती हूँ
नाप की, माप की वसुन्धरा

मूल्याकाश की–मेरी दृष्टि मर्यादा
मैंने ही कब चाहा
मेरी वसुन्धरा मेरा आकाश
सबका रहे....।
मेरा प्राप्य, मेरा अभीष्ट
मेरे गहे सहे का दुख सुख
मेरा इष्ट
मेरे साथ मेरा होके रहे
क्षम्य रही है यह उदंडता जग में सदा
अक्षम्य तो–
उल्का हो आकाश से टूट जाना
नदी हो तटों से छूटते जाना
दयनीयता केवल-प्राण-लय का टूटते जाना
क्षेपक बस-विपुल विराट बन
निकृष्ट में डूबते जाना

फिर भी–
सच सही
दया पात्रता

दृष्टि-मर्यादा, संकुचन, मूल्य विस्थापन
भ्रमित सन्तोषों के विपुल अतिथियों को
मेरे अहमन्य शत शत आमन्त्रण....
सब सच सही
अंधकार, संकुलता, सीमितता, मयार्दा

जीवन-युद्ध की आस्था

विश्वासों के पाँव
जो भी थे, जैसे भी थे
(सच को किसने पाया है)
तुमने तोड़ दिये हैं/जीवन लंगड़ा गया है
वैसाखियों की ठूँठी, क्षमता
प्रश्नोन्मुख आस्थाओं का भार नहीं झेलती
जीवन और अधिक लड़खड़ाता, डगमगाता है
सार्थकता का हर स्वप्न
एक खीझ, एक रूलाहट बन
कलेजे में अटक अटक जाता है।

बार बार
टटोलती हूँ अंधेरा
खिसकते समय का गर्भ/हो कहीं
अर्निमित स्वप्नों के मरणासन्न भ्रूण का
गर्भस्थ कहीं अस्तित्व
जिन्हें स्वस्थ विश्वासों की हवा देकर जिलाऊँ
रक्त माँस मज्जा देकर
अस्तित्व की धरा पर लाऊँ
कि
निर्जीव वैसाखियाँ फेंक सकुँ
जीवन का प्रत्यक्ष, भरपूर वार झेल सकुँ
फिर चाहे

इन्हीं विश्वासों से चोट खाऊँ
इन्हीं आस्थाओं द्वारा छली जाऊँ
जीवन युद्ध में लड़ूँ
अपने पैरों की शक्ति से लड़ूँ
इस अनावरत युद्ध के पीछे कोई विश्वास तो हो
सतत संघर्ष से जीवन का आभास तो हो

परिधि और बिन्दु

तुमने कहा था
मैं बिन्दु हूँ और तुम्हें अपनी परिधि बनाता हूँ
तुम्हारे द्वारा घिरे रहना चाहता हूँ
विस्तार पाता हूँ
धारण किया जाता हूँ

क्या तुम्हें नहीं पता
बिन्दु जब बाहर को चलने लगता है
परिधि बन जाता है
परिधि भीतर को चले
बिन्दु में सिमट आती है
कोई भी बिन्दु अपनी परिधि
का विस्तार होता है
परिधि बिन्दु को
बिन्दु परिधि को सहता है
क्योंकि कोई एक/दूसरे का अतिक्रमण नहीं कर सकता

किसलिये यह दोनों....

जितना सुन्दर, सुघड़, महत/कहा जा सकता/कहा/अब क्या दोहराना/
बार बार जीने को मिलता/क्या कभी सदा इतना सबल बहाना

आवाज़ न दो, न दो/बेसुध थक कर सोई हूँ अभी
इसी आवाज की चाह में/सजग जागी रही एक उम्र/
अपने कुछ न होने की करुणा/तुमसे कुछ पाने की दयार्द्रता/किसलिये
यह दोनों/हर बार साथ ही मुझे
स्मरण होते हैं/

अभावों से अधिक, भावों से व्यक्त होने का ही सदा रहा मेरा हठ
संकल्प
यह बात और है, गड्ढे सदा पड़े अभावों से
राह चलते चढ़े सभी निगाहों में

तुम प्रतिकर करो

देवता की इमेज आरोपित करके
मैंने तुम्हें बड़ा बना दिया था
समर्पण की सुविधा और सुख पा लिया था
अन्तत:
मोहभंग होना था, हुआ
मेरे पग प्रतिमा को डोलते देख
उखड़ने ही थे, उखड़े
भीतर बाहर की संगति नहीं बिठा सकी मैं
सोचती रही–
या तुम प्रतिकार करो
या नये स्वरुप से मुझे अभ्यस्त करो
नहीं हो सका प्रतिकार
(न हो सकने की जो भी कठिनाइयाँ थी)
साथ बैठ रोया नहीं जा सका
न सहलाये जा सके जख्म
बह न सकी
जम गई शिकायतें
जीती जागती धड़कनों का हिमीकरण हुआ।

यद्यपि यह मेरा ही खोट था
मनुष्य को मनुष्य की तरह

अनावृत अनारोपित न सह पाना
तुम्हारी भी कुछ कम दोष नहीं (पर क्या तुम्हारा कुछ दोष नहीं)
मौन को अटूट श्राप की बाध्यता में बदल डालना
सदा के लिये।

उन क्षणों की याद

अनमनी उदास साँझ
अनकहा करुण सन्ताप
स्वर विहीन भीति
कातर अकुलाव/उन क्षणों की याद
जिन्हें जिया तो गया
अमृत-सा पिया भी गया
अस्तित्व नहीं दिया गया

वे क्षण
न कभी हुए—सके
अपने अस्मिता बोध के हित चेतन
न बने प्रमाण-अपने होने के
न तथ्यता स्थायी गई जिनसे अपने आप की
किसी निहित कारण

व्यक्ति-सापेक्ष क्षण
अनुभावी के अनुभव का धन
जीने तक—जीवन
मृत्यु-मरण
मधुर विधुर तन
वे क्षण
क्या क्षण— जो जिए भी गये
        अमृत सा पिए भी गये
        स्वयंसिद्ध नहीं हुए।

प्रतिबद्ध दिन

अब तक तो यही किया है
उसी समर्पित क्षण की पुनरावृत्ति मान कर जिया है
हर बार वर्ष का यह दिन
समय ने यद्यपि कभी मुड़कर नहीं देखा
आवृत्तियों के मनोन्मुखी मोह से पिघलते
हमें सदा ही लगता रहा

प्राणान्वित हो उठती हैं सभी स्मृतियाँ-सुधियाँ
रागान्वित सभी धुनें
उसी तरह अकुलाई हैं
पगलाई हैं
वहीं बातें हमने बार-बार
अपने आप को समझाई है–
कि हम उस अतीत को
        .... उस विशिष्ट को
        उस घनीभूत क्षण को
उसी दर्द से
उसी उछाह से अर्पित हैं
सदैव सम्पूर्ण समर्पित हैं

लय और छन्द

जो लय है, मेरी अनुगता है, मैंने उसे ब्याहा है
जो छन्द है, आगत है, मेरे द्वार पर आया है
आगत अनुगत में कभी ठनी है
तो लय जीती है
यह नहीं,
कि उस पर मेरी पक्षपात प्रीति है
या
मेरे पोषित अहम् ने उसे जिताया है
इसलिये–
कि मेरे दर्द ने उसे खोजा है
मेरी व्यथा ने उसे पाया है
ब्याहा है

छन्द तो–
छन्द को
किसी एक दिन
द्वार पर खड़े
लय से बतियाते पाया है
अन्दर बुलाया है
अनजाना
जान कर पाहुना
यह तो सच है–
मेरे घर में उसका स्वागत है

क्योंकि वह मेरा आगत है

फिर भी, वह मेरा आगत है
लय मेरी अनुगत है
कभी मैं उससे चालित, वह मुझसे चालित है
वही सम्वेदित
मेरे लिये स्पन्दित अनुबन्धित है
व्यथित अनुबन्धित है

मैं तट पर बैठी रही

मैंने यह क्या किया
दुर्दिन को
अपनी ही नियति मान कर जिया
जीवन का घट
आज तक सहम सहम पिया

यह क्या किया
टूट कर बनने की आस्था न चिन्ही
ढह कर गढ़ने की चारुता न जानी
मेरी अंजुलियों से रीतता रहा
बोधों की शून्यता का पानी
खोई राहों और भटके हुए सपनों की व्यथा में
डूबी रही, खोई रही
लहरें गिनती रही, आँसू पिरोती रही

मैंने क्यों
मृत्यु को अधिक चिन्हा, जीवन को कम पहिचाना
अभाव पर अधिक सोचा, भाव को कम जाना
आग्रह को कम गोढ़ा, निग्रह अधिक ओढ़ा

व्यय तो बढ़ता ही रहा
संचय घटता रहा
मेरी निरीह कातर जिजीविषा

हर घड़ी जूझती मरती रही
जीवन के प्रति आस्था
जीवन की तथता से लड़ती रही
और
मैं तट पर बैठी
रही खोजती
जीने के बहाने
जीना भूलकर

यह क्या किया
जीना भूलकर

कोई वरद क्षण

मुझे अपेक्षित
सब तुम्हारे पास है–
आप्लावित सम्वेदित मन,
सधी हुई प्रज्ञा
रोमांचित देहवलि को सूंघती
रूप, रस, गन्ध की मनोहारी छुअन

यह सब पाने के लिये
तुम्हारी तरह होना,
रहना,
जीना ही चाहिए
और मैं
हर क्षण
अपनी तरह होने पर विवश हूँ

क्या कहीं
कोई ऐसा स्थल नहीं
जहाँ तुम्हारे 'तुम' होने
और मेरे 'मै' होने का अतिक्रमण हो
कोई वरद क्षण–
जो हम दोनों के होने से बड़ा हो?

कृतज्ञता

फिर कभी
मैं
क्या
अपने 'उस'
जो तुम्हारे
जुड़ने
और
मेरे घटने
के पहले
मेरे 'चिर एकान्त' का संगी था
जानुँगी

कैसे कभी
अपने 'उस' को

फिर कभी
अपने को
उतना वैसा पाऊँगी
जितना तुम्हारे जुड़ने
और
अपने घटने से
पहले
जितना तुम्हारे मुखर होने
और मेरे चुप होने के
बाद!

कमरे की कैद हवा

तुम्हें फर्क नहीं पड़ता
गर्मी और सर्दीपन
तुम अपना मौसम क्रिएट कर लोगे हर जगह
एयर कंडीशनर की छिद्रों से अनुकूलित हवा
स्पर्श लेगी जान बेजान चीजें/तुम्हारा शरीर
ही नहीं, ठण्डी हो जायेगी दीवार, दरवाज़े, कमरे
में कैद हो चुकी हवा

कौन पूछ सकेगा तुमसे मौसम की नबज
क्या था उसका नाम और काम/कैसे थे आँधी के बगूले/
कैसा था शीत ताप वर्षा का मिजाज़
तुम्हारा अपना नहीं कुछ
तुम्हारी अपनी है कमरे की कैदी हवा

मेरे बावजूद

मैं बैठी थी
एकदम तुम्हारे पास
तुम एकाएक 'अकेले' चले गये
पहाड़ियों का सोना छूने

तुम्हारा लौटना
हुआ भी तो
'वाह मैं' कहता हुआ
मेरे बावजूद

कल
फिर से मिल बैठने तक तो
गुजर चुकी होगी
दो तटों वाली एक नदी
हमारे बीच

साँझी सांसारिकता

कहाँ गुम?
क्या तुम्हें भी खोज रहा
तुम्हारा 'तुम'
ऐसी सांझी सांसारिकता से थककर!

धुरी का कौशल

कुछ-कुछ किया जो अच्छा नहीं था
कुछ-कुछ था जो अच्छा था
अच्छे को नाम किसने दिया
नाम की धुरी थी जिसने काट दिया
अच्छा/न अच्छा

नहीं तो अच्छा जिसे कहा
वह मैंने किया
नहीं भी था, मैंने चुना
धुरी के कौशल को श्रेय क्या सोचकर
किसने दिया?

इतिहास की विकृतियों के शिकार

उस पृथुल वय प्राप्त/यहूदी स्त्री में
मुझे दीखती रही थी एक बच्ची
अभी तक दहशतजदा (आतंकित)
कानों पर हाथ
हाथों के थरथराहट
घनत्व तब भी/कम नहीं हुआ था
इतिहास की जिल्द फाड़कर आती
दादी की चीखों का
फायरप्लेस/लपटों की परछाइयों में
भोजें सीती दादी की दृष्टि/तौलती रहा करती थी
आज कौन गया/मरा
कल कौन जायेगा
चाहे जानती थी दादी (कितने व्यर्थ हैं नाम)
जिन्हें जाना है/वह चेहरे नहीं
ढूह हैं
किसी जाति को धब्बे
इतिहास की विकृतियों के शिकार

तबसे
दौड़ रही बच्ची/देश-देशांतर
खखोल रही मत-मतांतर
है कहीं और भी दरज/उस हादसे का दोहराव/
है कहीं कोई वैसा गवाह

है कहीं इतनी काली मनुष्यता/विकटता, कुटिलता
या हर कहीं/उस विकराल विकृति के विछिन्न विलापी टुकड़े
भीमकाय हिटलरी जबड़े/व्यक्त अव्यक्त!

माँ

क्यों माँ हर दम कहती रहती है
कभी चुप नहीं रहती
कब से बीत चुके हैं उसके साथ
टकराने वाले दिन
कब से उग चुकी है एक माँ
उसकी बेटी के पैरों में से
कब से!

जीवन-दर्शन की भाषा

उसने कहा था
वह नहीं
बेचने, बाँटने, खो देने को तैयार
वह सब गढ़े हुए आकार
टेढ़ी मेढ़ी ठूँठ लकड़ियों के
काठीले दुराग्रह को
छील-कोंच
काट-तराश
नाम-रूप-लय में खिलती आकृतियाँ
पकड़ती हुई
जीवनाभासित आकृतियाँ

वह नहीं जानता
कैद कर लेगा
काठ को कला कर देने की आस्था को
वंचित कर देगा वह–
ठूँठ से उगती हुई
जीवन के दर्शन की भाषा को!

उसी स्मरण की छाँह

इस घड़ी
पता नहीं कहाँ
छूट गया
मेरे भीतर/चरण चरण चलता चला आया
दुरुह संसार

क्यों, अचानक
दीख रही
इतनी खाली जगह
मुझे अपने आसपास

पता नहीं
किस तरह आ बैठ गया हूँ
उसी स्मरण की छाँह घनेरी
आओ
तुमने कहा–
मुझे छू लो
दे बचपन की बाँह
पता नहीं किस तरह
आ बैठ गया हूँ
उसी स्मरण की छाँह।

....हवा में ताने हथियार

तो इन घातों के
कल तक नगाड़ों का चलन था
आज टँगी है चुप्पी पेड़ों पर
पूछती सन्नाटे से
इस देश का बादशाह कौन
कौन इस आबोहवा का मालिक
किस अपराध से
हवा में ताने हथियार
राहगीर की कोरी छाती के गुनहगार

पहले–इन घातों पर
नगाड़ों से बात होती थी
आज चुप्पी के इजहार में
दरकती भू की छाती
किसान के हाथ

देहरी का लाँघना

हमने सच में कहा था
हम चल देंगे अघाकर, पर
खड़े रहे अडिग, अभ्यास वश
अभ्यास ही लाँघा नहीं जाता
तो देहरी का लाँघना?

तुम्हारे झड़ जाने....

फिर साँझ ढलेगी
फिर दिन निकलेगा
फिर सारे कार-व्यापार शुरू हो जाएँगे
फिर तरोताज़ा हम प्रतीक्षा करने लगेंगे/
कैलेन्डर की तरह से/एकाएक तुम्हारे झड़ जाने ....
अगले वर्ष!

क्यों मेरी परिधि!

मैंने बहुत चाहा
मेरे भीतर तुमसे बड़ा एक संसार हो
कुछ बड़ी चीजों से मेरा सरोकार हो
बींध कर
अपने ही केन्द्र से
मुझे उद्विग्न कर रखती
तुम्हारी आकांक्षा
से बृहत्तर बहुत कुछ बाहर हो
फिर भी
संसार समुद्र में
तट की रेती पर
बिखर बिखर पड़ता ज्वार
क्यों अपने में समर्पित भाटा बन जाता है
क्यों मेरी परिधि!
एक ही केन्द्र से उठ उठकर
उसी वृत में गहरी लकीरें खींचती रहती हैं–

क्यों/अपनी पहिचान के
लिये उन बिन्दुओं तक
बार बार जाना पड़ा

अचेतन

चौकते देखते हैं शब्द
एक लहराती छाया
अचम्भा कि कैसे काया के बिना
पसरती छाया
क्या अचेतन को पढ़ने का दौर आ गया है!

नियति

बित्ते भर का
यह रूमाल
चादर नहीं बन सकता
चादर
तभी बन सकता है
जब तुम
इतने छोटे हो जाओ
कि
इसमें
समा सको

तुम्हारे भीतर उतरने का उत्सव

तुम मेरे सामने तो थे
मैंने तुम्हें नहीं देखा
दूर, सुदूर, बहुत दूर बींध दी थी दृष्टि
कुछ भी नहीं था वहाँ
मेरे सम्वेदन और चैतन्य को न छू सकने वाला
महज एक शून्य-महाशून्य
यों तो वहाँ पेड़ भी थे
आकाश भी
क्षितिज भी
गति कम्पन के रास्ते पहुँचता हुआ पवन-स्पर्श भी
प्रकाश भी
फिर भी मैंने उसे नहीं देखा
मैं देख रही थी, मैंने नहीं देखा
मुझे दीख रहा था, मैंने नहीं देखा
दृष्टि-तार से बँधा वह मुझे छू रहा था,
मैंने नहीं छुआ
मेरे भीतर कहीं
लौ की तरह जागा हुआ था– तुम्हारा सामने होना
अपना गलना
विगलित होना
अनुभूत की राह पर
एक एक चरण रखकर

तुम्हारे भीतर उतरने के उत्सव में अपना सम्मिलित
विलयित होना
तुम मेरे सामने तो थे, मैंने तुम्हें नहीं देखा

वह वैराग्य-मरु

तुमने देखी कहाँ होगी– वैसी यात्रा
वैसा दर्द
अपने ही आगे पल पल बिछा हुआ
अपना ही क्षरण
वह संग्राम
वह हार
अनुक्षण कठिन से कठिनतर होती हुई जिजीविषा की साँस
वह वैराग्य -मरु
वह अपने ही रक्त से लिथड़ी हुई डगमग यात्रा

कैसे जानोगे
आलोक से क्योंकर चौधियाँ जाती है मेरी आँख
क्यों हिलती है नीवें
काँपता मेरा इतिहास
किसलिये मेरा अणु अणु
स्तब्ध आशंकित
अचानक अविश्वासी हो जाता विश्वास!

मृत्यु के जन्म पर

तुम छकाते रहे थे मृत्यु के जन्म पर
और मृत्यु थी
        कहते कहते गई/आती हूँ
कि–तुम्हें, जाती हूँ
आते आते आऊँगी
जाते जाते जाऊँगी
छकाती हुई गई
तुमने ही क्यों नहीं छोड़ दिया, उतरीय
हवा में लहराने को

परोसने की प्रभुता

था
इतना कुछ था/जितना कुछ था
परोसने की प्रभुता के लिये प्रस्तुत नहीं था
सजा हुआ नहीं था
कन्दराओं का दहकता दिव्य अंधेरा
वहीं कहीं
गवाक्षों से था छन रहा उजाला
समाधिस्थ ध्यान/उसके पास कलम नहीं थी
न रोशनाई
न गोरा चिट्टा कागज़
भाषा जिस स्वाद की थी
परोसने, के लिये प्रस्तुत नहीं थी
परोसना नहीं था तो
फिर क्या था/क्या हो सकता था
कुछ भी नहीं था

पुत्र सुख के नाम पर...

यह तो वह था/जिसे मिला था भाग्य
शर्म माँ को क्यों थी
पिता का अड़ियल स्वत्व उसके हक में बोल सकता था
माँ पानी-पानी होती जाती थी
उसे भी चाहिए था सजाने को कुछ
पुत्र-सुख के नाम पर

उर्वरता बन बहने को

तुम्हें निर्निमेष निहारती हूँ कि
तुम्हारे उद्गम से मुक्त हुआ झरना
पेड़ों, पठारों, पत्थरों, पगडंडियों के बीच से
गुजरता
मेरे भीतर घुस आए और
मुझे मुक्त करे
अपनी तरह
मैदानों, तलहटियों, खेतों के बीच
उर्वरता बन बहने को

तुम्हें शिव!

अड़ गया था रावण
पर कितना जड़ कर गया
तुम्हें शिव!
इससे तो अच्छा था, तुम
लंका को प्रस्थान करते उवधि की तरल तरंगित
धवल धरा के बीच
डूबते सिहरते....

ऊबे हुए लोग

वे जो स्कूलों कॉलेजों में पढ़ाते हैं
वहाँ की बात नहीं करते
क्या वे ऊबे हुए हैं?

वे जो घरों में रहते हैं
घरों की ही बात करते हैं
क्या वे ऊबे हुए नहीं हैं?

वे जो मिलों कारखानों में जाते हैं
अद्धा और दिहाड़ी
मादा और माहवारी का हिसाब रखते हैं
क्या वे छिटक आना चाहते हैं?

वे जो लिखते हैं
सदा लिखने की बात करते हैं
क्या उन्हें ऊबने से ऊब नहीं है?

वे जो गाते नाचते हैं
            हमेशा डूबने की
वे जो चित्र बनाते हैं
            हथेली पर उगते सूरज की
वे जो देश चलाते हैं
            हमेशा कुर्सी की बात करते हैं

क्या वे सब ऊबे हुए नहीं हैं?

वे जो पत्रिकाएँ निकालते हैं
ऊब की आढ़त के खिलाफ़
बगावत की बात करते हैं
क्या वे हमेशा ऊबे हुए होते हैं?

आधे-अधूरे शौदाई

कौन इतिहास बना रहा है
वह सब कौन होंगे जो इतिहास बना रहे होंगे
कितने ही होंगे/जिन्हें अखबार के आने से पहले/
काम पर जाना होगा
कितने ही होंगे/जिन्हें बस के क्यू की लम्बाई टेर रही होगी
कितने ही होंगे/जो सरकारी शपथ-ग्रहण का अंग बन चुके होंगे
और बोल नहीं पाएंगे
कितनों की कीर्ति को काजर की कोठरी बचाने में व्यस्त होंगे
बहुत से ऐसे होंगे/जो बलवाई होंगे और इस समय का
इतिहास बना रहे होंगे
बहुत से होंगे जो आधे-अधूरे, शौदाई होंगे

उसके देने ने दिया

उसने बहुत कुछ दिया/देने की वस्तु होता है बहुत कुछ
इस सच को तरेड़ भी दिया कि बहुत कुछ दिया जा सकता है
उसके देने से ही
टूटी थी साबुत दिखती चीजें
चिटखे मुल्लमे/मुखौटे
कुछ सपनों की कगारें कँपकपा कर टूटी
मुझे ठीक याद है
उसके देने से ही सिकुड़ा नील अनन्त का मन
दिशाएँ डगमग
उसके छूने ने दे दी एक ही बार पूरमपूर मुक्ति
उसके देने की उमंग से बीच कहीं लहरा गया अछोर सागर
उसके देने की इच्छा से ही तन गये तराजू
पलड़ों पर काँपती रही कश्मकश
उसके देने से ही क्रोधी हुई करुणा
यह उसने मुझे क्या दिया था?

देना क्या रेशम के कीड़े की तरह अपने भीतर के स्थान को
अपने गिर्द लपेटना है? उसमें दूसरा तो लिपट जाता है।

उसके देने ने दिया/कि तिड़क सकते हैं सच

यह कैसी ज़िद

मैं तुम्हें देखती हूँ
जिस घेरे में आबद्ध
वह मृत्यु है

मैं तुम्हें देखती हूँ
जिस चेहरे के लिये बज़िद
वह जिन्दगी है

यह भी कैसी ज़िद
कि सफर सुरंग का होगा
और आँख उजाले के/उस छोरे पर
जो सुरंग के अंत में है

तुमने कहा यह बात वहीं से शुरू हुई थी। इसका अर्थ है
वहीं से पहले कुछ था कहीं।

इस समय मैं 'मैं' नहीं
मैं में तुम हो
इसलिये मैं 'मैं' नहीं
मैं की कोई देह नहीं थी क्या
क्योंकि उसमें कोई प्रवेश कर सकता है
जैसे तुम
देह तथा सीमा नहीं है!

सदी के नामांकन के लिये

कौन
सब कहीं
हर कहीं फुसफुसा रहा है कि
बीत गई सदी
सौ वर्ष के गर्द-गारे से बनी नहीं थी सदी कि धमकाती
वह तो युगों की
कल्पों की कामना
उसने हर पड़ाव पर टंकार दी थी
और पहरुओं ने समय की पोटली बनाकर
उसके हाथों में सौंप दी थी
इस तरह समय आगे निकल गया कुछ पोटलियाँ छोड़कर

हो तुम कौन
इस तरह अंकित करते समय
है तुम्हारा क्या?
यहाँ
पटरियों की चौकसी में/पोटलियों में बँधा पड़ा समय
ठठाकर हँस रहा
तुम्हारी मुर्खता के ऊपर
बेदखल कर रहा इस तरह
संसारी दुनियादारी से

ओट में होगा कोई
कहीं और
सदी के नामांकन के लिये!

....कुछ भी नहीं दीखा

आकाश का टटका बादल उसे दीख गया
चिड़िया ने चोंच भरी
उसे दीख गई
कण-दरार से आती धूप में तैरा
उसे दीख गया
कंधे के नीचे की मांसलता कसमसाई
उसे दीख गई
पड़ोस की खिड़की ने एक धुन गुनगुनाई
उसने टीप लिया

भिनभिनाते बच्चे के पास से गुजरते
उसे कुछ भी नहीं दीखा

उतना ही क्लांत

चुक गया साल का आखिरी दिन
चुप ही रही शाम
सरकते-सरकते कब गिरी होगी रात के संधि संपुट में
पता ही नहीं चला

सुना था/नये वर्ष की
अगुवानी के लिये
उठता है उत्सवी शोर
बजती है पाजेब
अधीर यौवन लहलहा कर उठता है
टाँगता है छतों पर गुब्बारे
खिड़कियों पर रंगीन झालरें
कोने में सज जाता है
किसी बेगाने देश से चलकर आया हुआ वृक्ष
पैरों में थिरकन गुनगुनाती है
उजालती है 'नये समय' की चौखट पर
नये पुरुषार्थ का दिया

सुना था
साथी ने कहा था– छोड़ो
छोड़ो घर के काम काज
कुछ भी मत करो
प्रतीक्षो–आता होगा दिन

सुनो नयी धुन
जिसकी लय गहने बदलेगी कल के संकल्प के लिये
जिसने रखे हैं सिरहाने मोती
शुभांगी इच्छाओं में बँटने के लिये

नया दिन
प्रथम पहर
ब्रह्म का मुहूर्त
थकी हुई रात्रि के विसर्जित श्वास
ताल के डगमगाते पाँव
बेसुरा भोंपू/सोते रहे पहरुए
लस्त-पस्त लोग देर से उठे
दिन निकल आया था/पता नहीं कब से/आँखें मलते देखा
और वह और सब दिनों की तरह था
उतना ही क्लांत
उतना ही अभ्यस्त!

बस!
शती के जाने का एहसास
आतुर कर देगा सबको
पल भर के लिये....

काठ हुई पड़ी हो

मैं उठी थी तो खिड़की की चौखट सोई हुई सी लगी
मेरी कोहनी के धड़कते दबाव
और उजले आकाश
को मेरे बितान में खोल देने वाली खिड़की की चौखट
तुम कैसे काठ हुई पड़ी हो
वर्षों से!

अचम्भा

कागज के कोरेपन से उठता रहा
कोई पुचकारता हुआ हाथ
क्या लेटती सतरों को तकिया देने को चलती आ रही
किसी भँवर से झिलमिलाती उजास!

सदी की समझ

किसी न किसी दिन/जानना तो होगा
क्यों इस तरह उतरी सदी की समझ हमारे अन्तःकरण में
क्यों इस तरह कौंधा ज्ञान हममें हमारे आस्वादों का

क्यों इस तरह बोला सकारा हमारी हड्डियों में
ऐसा क्यों हुआ कि चौराहे भूल गये
रास्ता दिशाओं के गमन का
आग लगी थी तो खलिहानों में क्यों लगी
मुट्ठी भर बारुद का बल, क्यों ज्यादा हो गया था
बस के अस्सी यात्रियों के बावजूद
बच्चे क्यों हँसते खेलते स्कूलों को नहीं जा रहे
औरतें क्यों अपने गुप्तांगों के गिर्द पेटियाँ कस रहीं

क्यों इसी शक्ल में जुड़ा इतिहास हमारी सदी के साथ
क्यों इस तरह जागकर बैठी शताब्दि हमारे बीच

क्यों इस तरह की लिखी जा रही कृतियाँ भविष्य के लिये
क्यों इस तरह का पथ्य, पीढ़ियों के रास्तों के लिये
क्यों समझा गया आशय देवदूतों की इबारतों का इस तरह
जानना तो होगा/किसी न किसी दिन
क्यों इस तरह उतरी सदी की समझ हमारे अंतःकरण में!

उपास्या लिये थी जो वस्तु

तीन दिन
या पता नहीं कितने दिन जैसे
पता नहीं कितनी सदियों हर दिन
उमेठता रहा कोई रस्सी
रितता रेतता रहा कंठ
निचोड़ा जाता रहा कपड़े की तरह मन
पर
कविता में आकर बैठे नहीं बामियान के बुद्ध
रह रहकर आकर बैठे हथौड़े, छेनी, तोपों के धुआँधार मुख
जमा रहा बालुई छत के नीचे कंकरीट में जड़ा
एक अधखुला स्मित

तुम किसे मारते हो आततायी
उपास्या लिये जो थी वस्तु
वह तो पहले भी यहाँ कहाँ थी
तिस पर
अमिट अडिग
बालुई कंकरीट की
छत के नीचे अधखुला स्मित

....दोनों आगे जाते हैं

रास्ता खींचता है
रास्ता आगे जाता है
रास्ता और समय दोनों आगे जाते हैं
मैं क्यों लौटती हूँ
लौटने के अंत तक पहुँचकर
पलट आने में क्यों देखना चाहती हूँ
दीवारों पर छिटके लहू के निशान
चलने की तैयारी में बँधी रखी गठरियाँ
पानी के बगैर तालू में चिपकी रह गई
पिंडलियों में अड़ियल फड़फड़ाता

मैं क्यों देखना चाहती हूँ
रास्ता तो आगे जाता था
रास्ता और समय दोनों आगे जाते थे

आम आदमी

कितने प्यारे/दुलारे
कितने परोपकारी
हमें ऊँचाई पर
पहुँचाने वाली
सीढ़ी का निचला पैर
आम आदमी तुम!

किताबों का ढेर

राह चलते
पल्लु की उड़ान को
फाँस लेता है
नयी किताबों का ढेर
अपराध की कीच में
लसेड़ देता/किसी कोने में
उँघ रहा/अधपढ़ी किताबों का ढेर

अभी कुछ और होना है....

विश्राम दो
कथा से, कविता से/इबारतों से
अभी कुछ और होने को है
कब/अजाना कोई/अजाने पल
सजे धजे बाजार के बीच से
चुम्बक बँधी डोरी से/खींच लेगा एकाएक

अविराम

अजाने के
आने से पहले आती रहे आहट/सुनो, न भी सुनो
(चल पड़ने की तैयारी)/चल रही, चल रही तैयारी
पल-पल अविराम

माँ ने कहा....

माँ क्यों कहा तुमने/मैं तो चली अब
सार-सम्भाल रखना तुम भाई की
क्यों? क्यों... आखिर क्यों
वह तो मुझसे बड़ा है/मुझे ही क्यों

माँ ने वाक्य मेरे मुँह से छीन लिया था–
'नहीं वह बड़ा नहीं, बच्चा है अबोध
सीखा कहाँ उसने
घमासान में/अपनी बढ़त के लिये
औरों को धकिया कर/रास्ता बनाना/जीना सीखना

दुकान की अधमैली गद्दी पर बैठे
तौलता रहा जिन्स/जो हाथ लगी/भाग लिखी
टाँकता रहा वही-वही-खाते/गिनता रहा रोकड़
पसारता रहा भिन-भिन समय

भुक्खड़ की तरह भकोसता रहा/थाली में रखा गया अन्न
थाली में ही हाथों की जूठन धोकर
सरपट जाते इंतजारी ग्राहक की दुम
संगिनी को कहता रहा औरत
रेलमपेल आयामों की/भोली भुलक्कड़ नादानियों के लिये
क्षुब्ध पिता की छड़ी से
पिटता रहा/सिर झुकाए

आज्ञाकारी श्रवण!

वश में होता/तो सकता कुछ सीख
पर उसकी अनुभवशाला का रास्ता तो
दुकान से घर के बीच बिछे
बंजर गलियारे भर का था

कमानी थी उसे रोटी नाम की शै
कपड़-लता, चीज़-वस्त्र
तुम्हारे, मेरे छोरे छोरियों की लालसा के हित
उन सबके लिये
जिनका रास्ता तो आगे भी जाता है
मेरा तो नरक नाम के स्वर्ग को
तुम्हारा राजा महाराजाओं के घर
देखो देखो/कैसे पुलक भरा ताक रहा
दहलीज़ पर खड़ा/एकटक
बस्ता लादे छोरे-छोरियों के लाँघते-फलांगते पग
कैसा शुद्ध -बुद्ध अल्हड़ मन!

अब आगे....
अब आगे.... माँ रुकी थी
नहीं–जानता पगला
जो भी आयेगा/लतियायेगा
उसे दुलती मारेगा/थूकेगा
कैसा है यह अनपढ़ अनगढ़
हठी अक्खड़ बड़बोला
इतने गोरे मुख, चमकती आँखों वाला
बदजुबान बुझक्कड़

बुझी आँखों से/कमर में खोस आँचल का छोर ढूँढ़ते
कहाँ माँ ने–
क्यों नहीं पता तुम्हें!

समय का इतिहास

इतिहास
बार बार
कुछ शब्दों को चुनता है और सिर पर लादे
अचानक भागने लगता है

फिर नजर आता है
फेंकता हुआ छिलके
खोखल खाली शब्दों के
रेतीले तटों पर
धूल उड़ाती सड़कों पर
हवा के बावजूद सन्न खड़े दरख्तों पर
बाल्कनियों में बुत खड़े इंसानों पर

शब्द और शब्द
पीढ़ियों से पीढ़ियों को
दिये और लिये जाते शब्द
फिर भी उन शब्दों का
जिन्हें इतिहास बार बार
सिर पर धरे
भागता है
अर्थ नहीं बचता
लादने और भागने में/हड़बड़ाहट में
बीच कहीं पड़ा रह जाता है

अकेला
अनदेखा

रेत के तले की दाह अम्लान
धीरजवान
अपनी आर्द्रता से नया जन्म देने को उत्सुक
देखती है युग संधियों के पिचके हुए शब्द

इतिहास अनवरत दौड़ता है युग संधियों में
फालतू करके फेंकता है शब्दों के छिलके
अनदेखे बीज संकल्प
फिर छूटते जाते अर्थ
नये जन्म की प्रावस्था!

अन्तराल

उन दिनों और
इन दिनों के बीच
कितने जड़ित इतिहास
कौन खोल सकता है उतनी अर्गलाएँ
दे सकता उतने साक्ष्य
बदहवास दौड़ती सड़कों पर कौन
उतना थमता पहिचान के लिये
कौन रोक सकता
सम्वेदनाओं को इतिहास बन जाने के लिये
कौन बाधित करता
इतिहास को भीतर घुस आने के लिये

यह जड़ित शिलित परतें
खोद नहीं सकेगा इन्हें कोई तत्पर हाथ
कोंपलें उगेंगी कहीं-कहीं
पथरीली परतों दरीचों के बीच
बाकी सब भूगत
और खाद
और घटक
और उर्वरा बन
लहलहाने का कारण बना मिलेगा
चुपचाप!

गारत के समय

तब तक तो यही था
परिचय नहीं था
उन हाथों की छुअन का अपने को
खाल की नरमाई उतना ही
अचम्भित करती थी हर बार

भय कि किसी दिन
कभी शव मिले, हवाई हमलों के फलस्वरूप
गारत के समय
कैसे होगी पहचान
कौन करेगा शिनाख्त!

तब तक तो यह बात थी/पैरहन चीरता
नंगा होता जिस्म
देखा नहीं था/आँख भर
सौंप दिये अंग अन्यमनस्क औपचारिकता
के साथ
टलता गया समय
चलता गया संसार

जिन्हें सौंपना था भविष्य

भीमकाय भुजाओं में बँधे नगर के नगर
ऐसे में कौन कैसे करेगा मोती की चाहना
इतना अनकहा विस्तार
बाहर बर्फ की बुहार
सुन्न होती अंगुलियाँ
गरमाए हुए प्रकोष्ठ
सड़कों पर दौड़ते पैर
माँओं के बिना घर
बच्चे कहाँ जाएंगे जिन्हें सौंपना था भविष्य

तुमने क्यों कहा मोती नन्हा है
मोती बिंधता है तो बनता है श्रृंगार
मोती का नाम है कांति/मोती का नाम है शांति

समय की नदी

तुमने क्यों कहा
ओझल ही बने रहो
जीवन निजी व्यक्ति-सम्भव उपक्रम है
होगा
पर गर्हित तो नहीं
कि छिपू
इतना निजी भी नहीं

सदियों से चली आ रही
समय की नदी
नि:शब्द प्रवाह
कितनों के उद्यम पराक्रम संचित

दिये आधार
आकार
विस्तार
उर्वरता
दिया जल, थल, जड़ें
अब पल्लवों को ताजगी देने का दम्भ
चाहे तो ओढ़ सकती है निजता
व्यक्तिमता!

इच्छा के ओढ़न का सवाल

वह कौन था–
जो बाँह पकड़े
कविता की नदी पर छोड़ गया
यह तक नहीं बताया
कि अब कोई त्राण नहीं
                    न वापिसी
                    न मुक्ति
न किसी दूसरी इच्छा के ओढ़न का सवाल
उस रेती पर बैठे
फिर कभी
किसी और पहचान की कुनमुन हो चाहे न हो

अँसुवाया मन

महाशून्य
बीहड़ सन्नाटा
पीड़ा अधबनी
पाँव आगे चल पाते नहीं
न पीछे
अर्गला सी लगी
प्रतीक्षा
काँप-काँप उठता
विद्युत सा
महाकाश का मन

अंधकार
होता नहीं पूरा
न प्रकाश
देहरी पर खिन्न हुआ
खड़ा मिलता
हर घड़ी
अपने को
अपना ही अँसुवाया मन

तुम्हारे होने से

यह नहीं था
तुमने मुझे महाकाश के नीचे पलते
सब सुख दिये थे
यह भी नहीं
कि मेरे मान अभिमान को
पूरा सहा था

यह भी नहीं
कि मेरे पंखों में
आतुरता का बल
तुम्हें भला लगा हो
रक्त तुम्हारा जितना बहा
यह नहीं कि
मेरे जीवनदान के लिये बहा

फिर भी
यह तो है
तुम्हारे होने से
एक प्रतीक्षा
एक आस्था
कहीं रहती है
जो नहीं हो सका
उसके हो सकने की
सम्भावना
जगी रहती है

तुम कहीं भी जाओ

तटस्थ होकर
तुम कहीं भी जाओ
हर घुमाव पर
तुम्हें छुआ करेंगे
नदी के प्रवाह की तरह
बारम्बार

पटाक्षेप

जीवन को
यदि यूँ ही
उठा कर
हाशिए पर
रख नहीं दिया
तुम्हारे होने को
कहीं
गहरे
पूरा स्वीकृत किया

मेरी संचरना के कोष

रक्त तुम्हारा
टपका तो था
सिकता-कण सोख गये
मेरे लिये था भी, तो
रहा बेअसर
मैं भटकी
खील खील चटखी
मुट्ठियों में मन
निचोड़
अपना ही लहू
जो, अपने को मिला
वही बूंद
गुणा करती रही,
मेरी संरचना के कोष

पलट कर आई जिजीविषा
ने साधा
सभी नातों से नया सरोकार
यह बात और है
दर्पण में तुम्हारी छवि
दीखती रही हो
दर्पण में
तुम्हारी छवि बारम्बार!

द्वन्द्व निवारण

चाह/अपने को
रिक्त कर चुकी थी
पहले ही
फिर क्यों
रात भर/
मैं फूट-फूट रोई!

विडम्बना

कोई एक व्यक्ति
एक लबादा
जिसे यथार्थ ने नहीं
यथार्थ से आगे जाने की इच्छा ने रचा

इच्छा ने ओढ़ा दिया लबादा व्यक्ति को
ओढ़न सुंदर लग रही थी
सजा रही थी
छिपा भी रही थी
सही सही जगह

लबादे सहित अब
होता है सतत
कितना....
कितना उपक्रम असली
इच्छा से पहले के प्राणी को ढूँढकर लाने का
पलटकर जाने का

ख़बर

सुबह का सूरज निकला
और ढिंढोर गया
बगल वाले घर में हत्या हुई है
हत्या नहीं हुई
हत्या का शुबह
मौत की हर खबर से चिपका/कितने ही दिनों से
गली गली में थरथरा रहा था

ऐसा क्या हुआ कि भूल गये लाना अडिग सत्य
हत्या के अतिरिक्त भी
होती है मृत्यु हर किसी की
हर की

जंगल के हक़ में

पड़ोस के
घर में रहता
आदमी मरा है, पेड़ तो नहीं मरा
घर में रहती
        स्त्री चली गई है, पेड़ तो नहीं गया
घर में आता माली
        बर्तरफ हुआ है, पेड़ तो नहीं हुआ
अब कौन आयेगा जो सिर चढ़ी बेल/प्यासी की प्यासी
घर में बढ़ी बेल को जंगल में पहुँचा दे...
जहाँ नमी से नहलाई जाती है कोमलांगी
पानी के बिना भी हरियाती है कोमलांगी

सबकी धरती

सुख गयी क्यारी/हरापन कुम्हलाए /
दीवार के कंधे पर झूलने को प्रस्तुत
किसने कहा– पत्ते और फूल
उसके ही थे/जिसने बोये थे बीज
क्षुधा धरती की थी
धरती सबकी थी
कोई भी सींच दे सकता था

शब्दों की हाट में

चलो न तुम.... चलो मेरे साथ.... चलो वहाँ तक
चलो ढूँढ़े कुछ
कौन है वह?
कहाँ तक जाने की बात है?
क्या ढूँढना है?
हर कहीं.... हर कुछ.... पूरी तरह
कितना चुप है

फिर किसने कहा था मुझे
या मैं कह रही थी किसे
चलो न तुम.... चलो मेरे साथ....चलो वहाँ तक
चलो ढूँढ़े कुछ
डोलती आकृतियाँ
कभी सही सही नहीं बनती
उठकर आता नहीं आवाजों के ढूह से
कोई नाम
बिम्ब बिफर पड़ते उजाले की धूप में
सगुन सरक जाते हथेलियों के बीच से
शब्दों की हाट में बैठे
कितने गुमसुम उच्चार

कितना अनहोना हठ/कैसी सस्वर खींच/
कहाँ जाने को प्रस्तुत

कहाँ है कहाँ
कौन है वहाँ
कहाँ जाने की बात थी
क्या ढूँढ़ना था–
फिर कौन टेरता चलता है
चलो न तुम.... चलो मेरे साथ.... चलो वहाँ तक.... चलो
ढूँढ़े कुछ